Peter Kasson

d'après une gravure du temps.

*Parce qu'il est rempli de ballons,
ce livre est dédié à ma fille!*

**Dans la même collection**

Promenade dans PARIS

L'ÉQUITATION et l'École espagnole de Vienne

Voyage en PÉNICHE et dans le monde des mariniers

© Flammarion 1982
ISBN 2-08-092104-5
Printed in France
Imprimerie Hemmerlé, Petit et Cie, Paris
Dépôt légal : mars 1982, n° d'édition : 11200 - n° d'impression : 1894

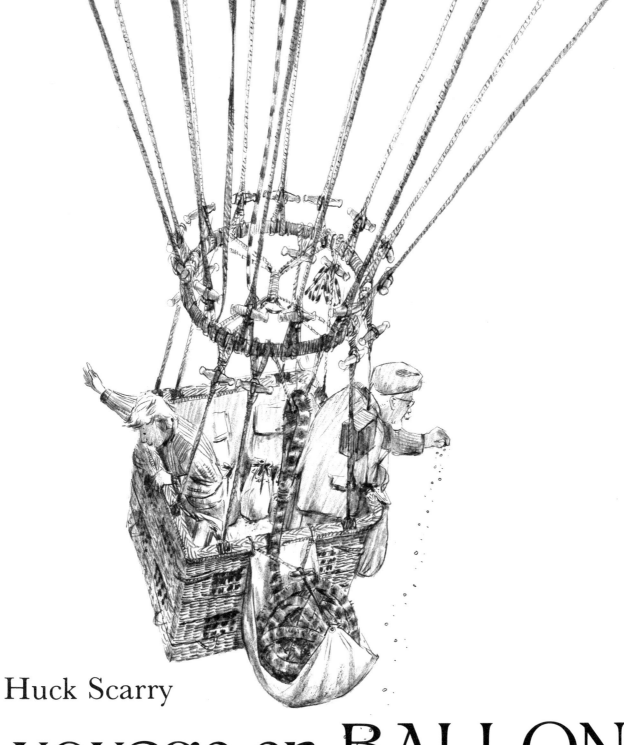

Huck Scarry

# voyage en BALLON

Illustrations de l'auteur

Adaptation française d'Yvette Métral

éditions
du chat perché
FLAMMARION

le Schilthorn

Lauterbrunnen

6

J'étais encore enfant quand ma famille vint habiter la Suisse.
Chaque week-end, nous partions en excursion
découvrir montagnes et vallées.
Une fois, c'était à la fin juin, nous sommes allés à Lauterbrunnen,
petit village du haut-pays bernois, que couvre
de son ombre la gracieuse Jungfrau. Un funiculaire nous
enleva, par-delà les pâturages et les dentelles blanches
des cascades tombant à pic, jusqu'au village de Mürren.

Quelle surprise nous attendait là !
Au-dessus des toits des chalets noircis par le soleil,
miroitaient d'énormes ballons aux couleurs vives.
Je courus voir de près ce dont il s'agissait,
et découvris un vaste pré couvert de ballons.
Ce spectacle, qui eût paru extraordinaire n'importe où,
prenait une allure encore plus fantastique
dans le cadre grandiose des Alpes enneigées.

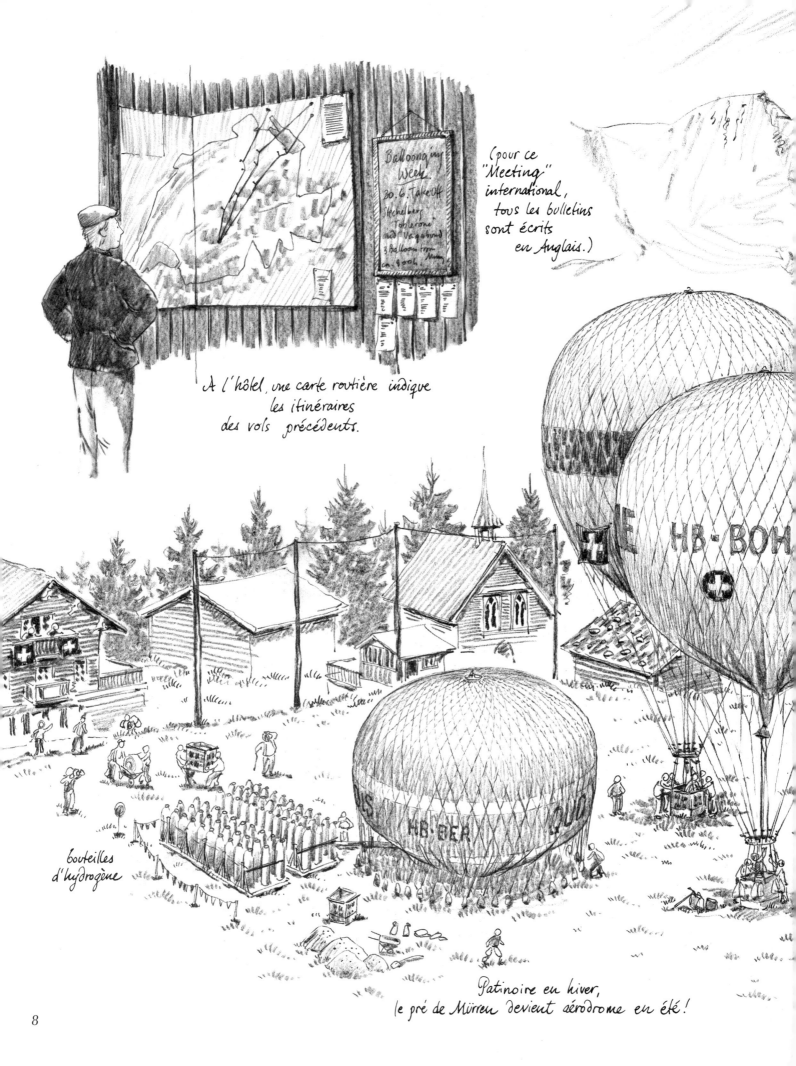

À l'hôtel, une carte routière indique
les itinéraires
des vols précédents.

(pour ce
"Meeting"
international,
tous les bulletins
sont écrits
en Anglais.)

bouteilles
d'hydrogène

Patinoire en hiver,
le pré de Mürren devient aérodrome en été !

C'était précisément la saison où a lieu
la Semaine Internationale Dolder de Ballon libre
dans les Hautes Alpes. Au cours de cette manifestation,
de nombreux adeptes du ballon s'envolent
pour un aventureux voyage au-dessus du Massif alpin,
et s'en vont atterrir là où les vents les portent,
aussi bien en Italie qu'en Autriche ou en France...
Sans hésiter un seul instant, nous avons renoncé
à notre projet d'excursion et passé la matinée
à admirer ces merveilleux vaisseaux du ciel,
à suivre leur préparation au vol.
J'ai même aidé à disposer les sacs de sable
tout autour du filet d'un ballon.

Une partie
de l'équipement
de
l'aéronaute
alpin.

9

Eiger

Mönch

Quand tout fut prêt,
les pilotes grimpèrent dans leurs paniers d'osier grinçant.
Après avoir jeté un peu de lest,
ils quittèrent sans bruit la planète et devinrent bientôt
des points minuscules errant dans le grand ciel bleu.

Jungfrau

Si les ballons étaient partis, mon enthousiasme du moins demeura !
Longtemps, je caressai le projet de m'envoler un jour à mon tour.
Récemment, l'occasion s'en est enfin présentée :
j'ai été invité à participer à un court voyage qui débutait
sur les bords du Rhin, au nord de la Suisse.
Et voici comment les choses se sont passées...

DRING ! le réveille-matin me fait sursauter.
Je jaillis de dessous l'épais édredon de duvet.
Il fait froid, il fait noir.
J'allume la lampe de chevet : 5 heures ! Seulement !
A la hâte, je m'habille, lace mes chaussures et me glisse furtivement
le long du corridor du vieil hôtel. La porte est encore fermée à clef.
Dieu merci, pas la fenêtre ! Mon sac à dos passe dehors le premier,
j'atterris après lui, flop ! en plein dans une bordure de fleurs !
(J'ai payé ma note la veille, heureusement).
Je saute dans ma voiture, tourne la clef de contact. C'est parti !

Où vais-je de si bonne heure ?
Réaliser mon vœu, accomplir ma première ascension en ballon, voyons !
Et je suis déjà en retard,
car l'équipe du sol se met à l'œuvre à 6 heures.
Je dois me presser car je ne veux pas manquer
un détail de toute l'opération.

Le gonflement du ballon s'effectue
dans le champ voisin d'une fabrique d'eau gazeuse de Zurzach
car c'est elle qui va fournir le gaz.
A mon arrivée, l'équipe au sol,
en survêtement d'un rouge criard,
est en train de sortir une remorque d'un hangar.
Sur cette remorque est posé un grand panier en osier.
Je lance un joyeux : « Gruetzi ! »
(Salut ! en suisse allemand).
Mais voyons d'abord l'anatomie d'un ballon,
avant de passer aux préparatifs.

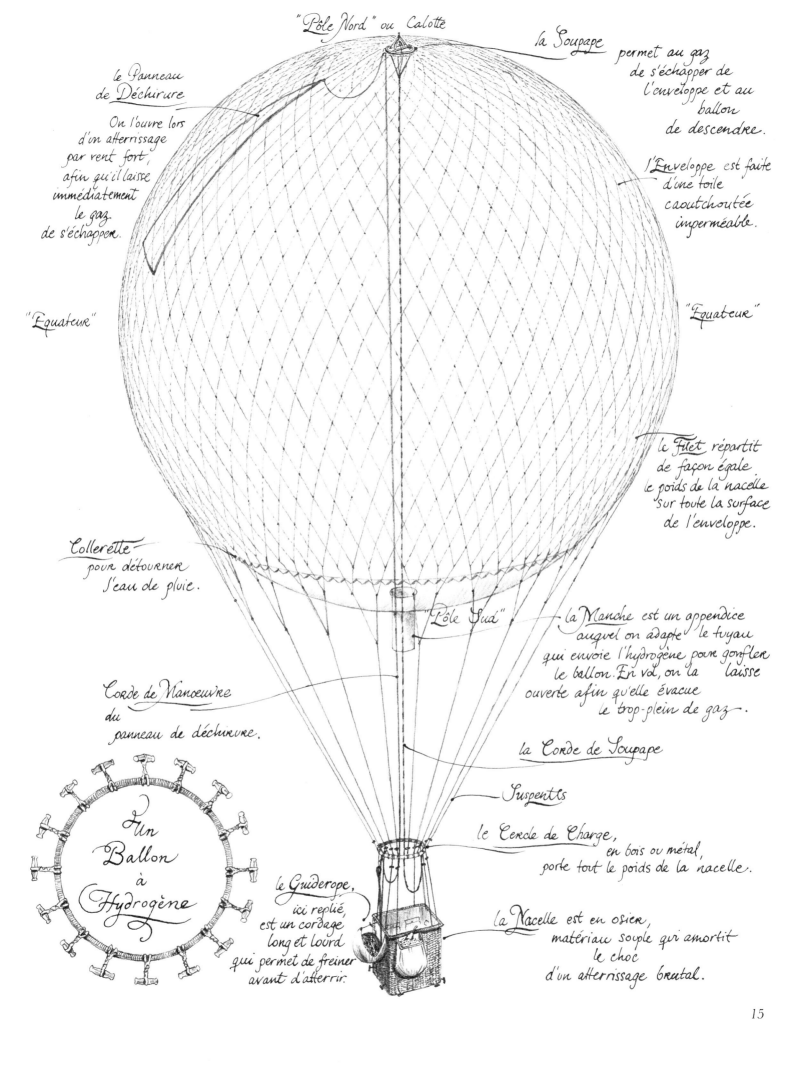

"Pôle Nord" ou Calotte

la Soupape permet au gaz de s'échapper de l'enveloppe et au ballon de descendre.

le Panneau de Déchirure

On l'ouvre lors d'un atterrissage par vent fort, afin qu'il laisse immédiatement le gaz de s'échapper.

l'Enveloppe est faite d'une toile caoutchoutée imperméable.

"Equateur"

"Equateur"

le Filet répartit de façon égale le poids de la nacelle sur toute la surface de l'enveloppe.

Collerette pour détourner l'eau de pluie.

"Pôle Sud"

la Manche est un appendice auquel on adapte le tuyau qui envoie l'hydrogène pour gonfler le ballon. En vol, on la laisse ouverte afin qu'elle évacue le trop-plein de gaz.

Corde de Manœuvre du panneau de déchirure.

la Corde de Soupape

Suspentes

le Cercle de Charge, en bois ou métal, porte tout le poids de la nacelle.

Un Ballon à Hydrogène

le Guiderope, ici replié, est un cordage long et lourd qui permet de freiner avant d'atterrir.

la Nacelle est en osier, matériau souple qui amortit le choc d'un atterrissage brutal.

15

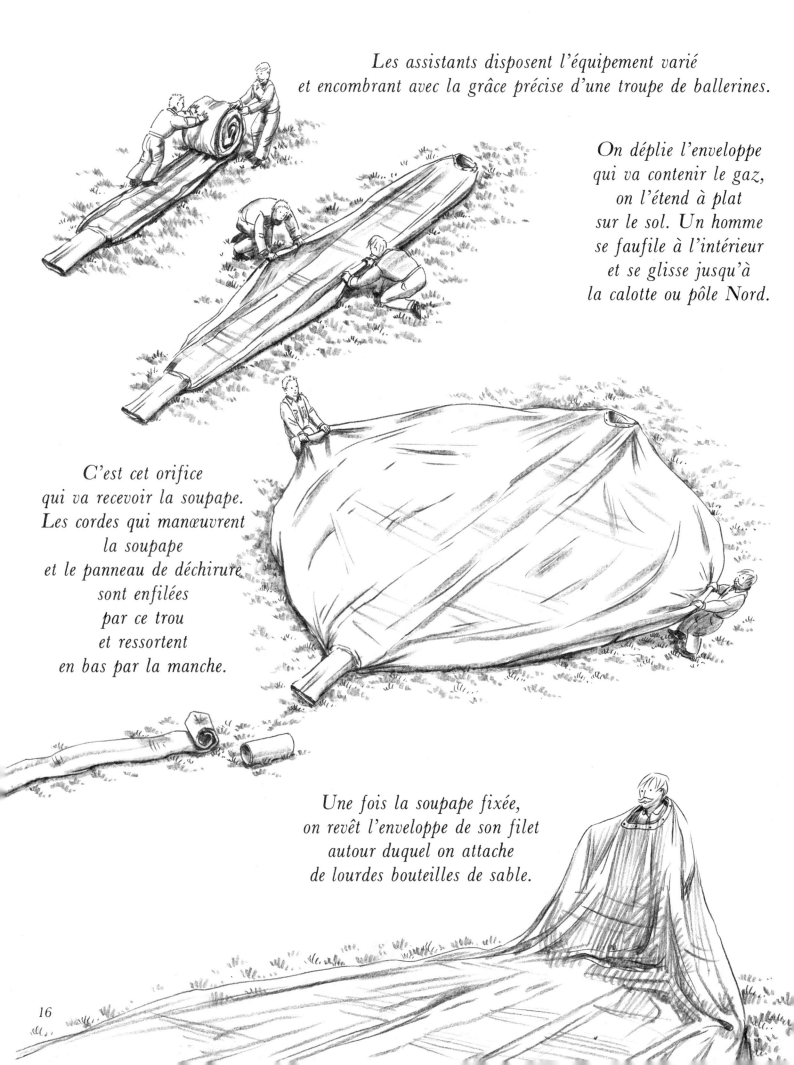

Les assistants disposent l'équipement varié
et encombrant avec la grâce précise d'une troupe de ballerines.

On déplie l'enveloppe
qui va contenir le gaz,
on l'étend à plat
sur le sol. Un homme
se faufile à l'intérieur
et se glisse jusqu'à
la calotte ou pôle Nord.

C'est cet orifice
qui va recevoir la soupape.
Les cordes qui manœuvrent
la soupape
et le panneau de déchirure
sont enfilées
par ce trou
et ressortent
en bas par la manche.

Une fois la soupape fixée,
on revêt l'enveloppe de son filet
autour duquel on attache
de lourdes bouteilles de sable.

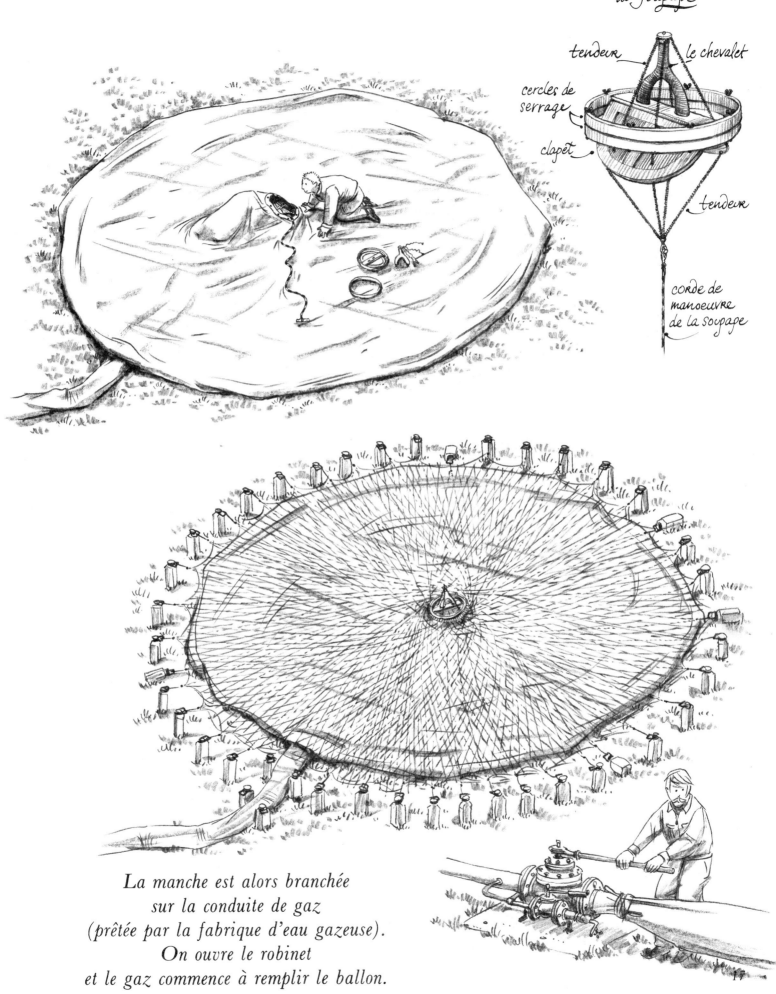

la Soupape

tendeur · le chevalet

cercles de serrage

clapet

tendeur

corde de manoeuvre de la soupape

*La manche est alors branchée
sur la conduite de gaz
(prêtée par la fabrique d'eau gazeuse).
On ouvre le robinet
et le gaz commence à remplir le ballon.*

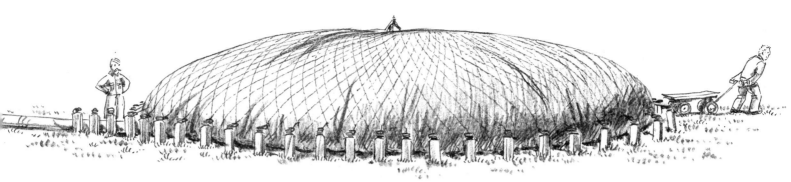

Progressivement, l'enveloppe enfle comme un soufflé et s'élève au-dessus du sol.
Mais le filet, alourdi par le poids des bouteilles de sable,
l'empêche de s'envoler.

"HB-BOP" est le numéro d'enregistrement du ballon. HB désigne la Suisse dans le code d'aviation.
Le B de BOP signifie Ballon, et OP sont les initiales d'Oscar-Papa.

Le gonflement est terminé.
Le ballon plane au-dessus de nos têtes.
On coupe le gaz, et la manche qu'on rouvrira en vol
est provisoirement bouclée.
On ajuste ensuite au filet le cercle de charge
qui soutient la nacelle.
L'équipe suspend encore
toutes sortes d'accessoires à la nacelle,
et le ballon est prêt à prendre le vent.
Mais où est donc mon pilote ?

Cercle de Charge

Barographe,
enregistrant
les changements
de pression barométrique,
permet de déterminer
les variations d'altitude.

Variomètre
mesure la vitesse
d'ascension ou de
descente en
mètre/seconde.

Guiderope

Sac de Lest + Pelle
pour lâcher du lest
en quantités mesurées.

*Ponctuel comme une montre suisse,*
*voici que s'avance un gentleman*
*aux cheveux blancs. C'est M. Fred Dolder,*
*mon pilote. Souriant,*
*il salue toute l'équipe, puis examine*
*le ballon et scrute le ciel*
*à plusieurs reprises.*
*« Montons à bord », me dit-il enfin.*
*Bon, Mais... où veut-il que je me mette ?*
*Avec ces sacs de sable,*
*ces provisions, ces instruments,*
*la nacelle ressemble*
*plutôt au panier d'une ménagère*
*revenant du marché qu'à une nef*
*prête à voguer dans le ciel.*

On place
dans la nacelle
des sacs de sable,
des provisions de bouche,
un émetteur-récepteur,
et des cartes de...

...tous les pays d'Europe !

"Bazenheid"
est le nom du village
où naquit
un célèbre aéronauk suisse,
le Capitaine Spelterini.

Nous nous casons pourtant. Alors l'équipe du sol
nous soulève et nous porte jusqu'au point de départ,
au bout d'un chemin qui mène au bord du fleuve.

21

C'est à peine si l'on sent un souffle de vent.
Aussi, pour déterminer la direction que nous allons prendre,
nous lâchons un petit ballon d'essai, d'environ un mètre de diamètre.
Puis c'est la pesée : M. Dolder passe par-dessus bord des sacs de lest,
jusqu'à ce que le ballon, allégé, repose sur le sol
aussi légèrement qu'un petit chat.
Quand il oscille entre ciel et terre, M. Dolder lance l'ordre fameux :
« Lâchez tout ! »
Je ne ressens aucun mouvement mais vois seulement les hommes
et tout le paysage environnant
s'éloigner lentement au-dessous de nous.
Sans un bruit, sans un heurt, nous avons décollé en douceur
de la surface de la terre.

Je vole !...

24

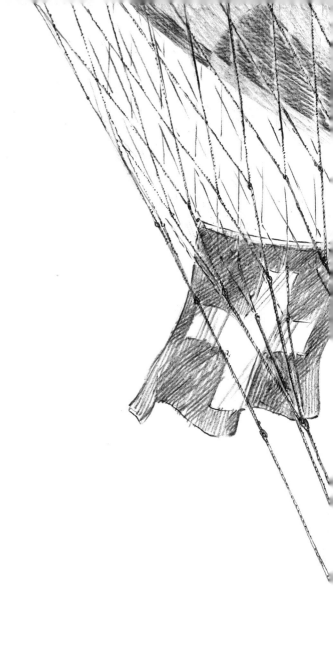

Solitaires comme des pionniers,
nous avons laissé nos amis tout au fond du grand océan atmosphérique,
et glissons, ballottés comme du menu plancton marin,
au gré des courants aériens.

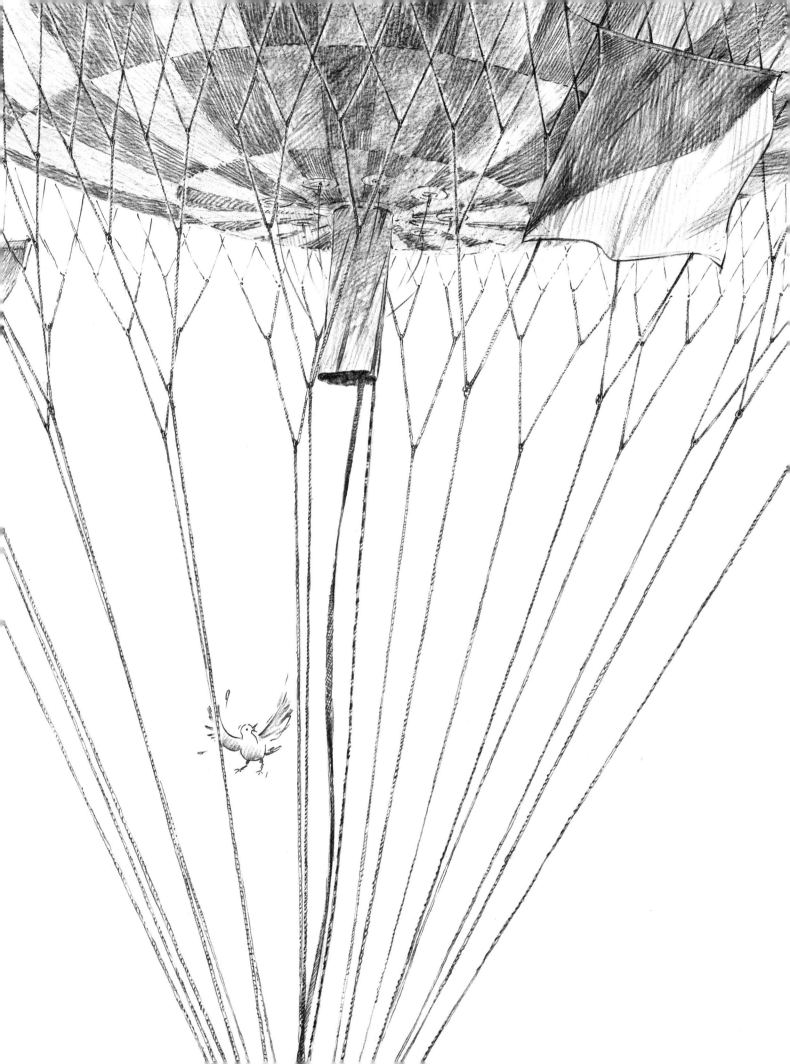

On a l'impression de faire un voyage immobile,
sans que la nacelle reçoive d'impulsion d'aucun côté,
alors que la terre s'éloigne toujours davantage.
Lorsqu'elle semble ralentir, M. Dolder plonge
la main dans son sac et jette un peu de lest,
tel un pâtissier saupoudrant de sucre un gâteau.
Cette légère modification de notre poids
suffit pour que la terre recommence à s'écarter de nous.

Découvrons l'agent secret de notre ascension : l'Hydrogène.

L'air qui compose notre atmosphère
est un mélange de divers éléments gazeux tels que l'oxygène,
l'azote, le gaz carbonique, etc.

Dans la nature, chaque élément a un poids propre,
lié au nombre d'électrons (et de protons) que recèle un atome de cet élément.

Ce nombre est appelé nombre ou numéro atomique.

Ainsi, l'oxygène, avec ses 8 électrons (et ses 8 protons) a 8 pour numéro atomique,
alors que le plomb, élément lourd, a pour nombre atomique 82.

Existe-t-il un atome simple, formé d'un seul proton et d'un seul électron ?

Oui, c'est l'hydrogène, le plus léger de tous les corps.

Il est aussi le plus abondant, et cependant il serait difficile d'en trouver sur terre.

La légèreté de ce gaz défie les lois de la gravité terrestre.

C'est pourquoi un ballon rempli d'hydrogène
peut voler dans l'atmosphère la plus dense
comme une bulle d'air traverse l'eau pour remonter à sa surface.

En ce cas, où trouver de l'hydrogène ? Bien qu'il n'en existe pas
à l'état pur dans l'atmosphère, il entre dans la composition de nombreux
corps et notamment dans celle de l'eau.

Jusqu'à une certaine époque, on considérait l'eau comme un corps simple.

Ce n'est qu'en 1766 qu'un chimiste anglais, Cavendish,
démontra que l'eau était composée de deux éléments dont l'un,
déjà connu des alchimistes sous le nom d'« air inflammable »,
fut rebaptisé hydrogène par Lavoisier en 1799.

On obtenait de l'hydrogène en mélangeant de l'eau,
de la limaille de fer et de l'acide sulfurique,
ou encore en passant de la vapeur au-dessus d'un fer chauffé au rouge.

Aucun de ces procédés n'est pratique.

Pour remplir notre ballon, nous avons dû recourir
à la fabrique d'eau gazeuse qui nous a fourni ce dérivé de sa production.

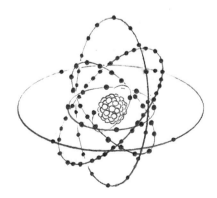

Un atome...

...d'Oxygène...

...et d'Hydrogène.

...de Plomb...

*Un pilote de ballon est presque aussi peu maître de sa trajectoire*
*qu'une feuille d'automne tombée de l'arbre.*
*Les ballons n'ont d'autre moyen de propulsion que les vents,*
*et les courants thermiques ascendants ou descendants.*
*Le pilote ne peut agir que sur le mouvement vertical de son vaisseau*
*et dispose pour ce faire de deux ressources : le lest et le gaz.*

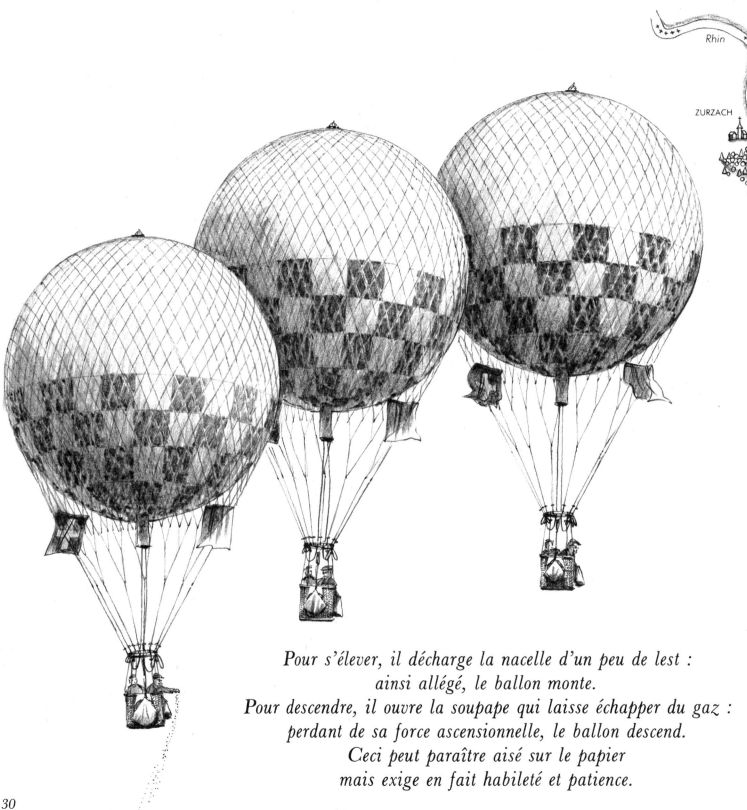

*Pour s'élever, il décharge la nacelle d'un peu de lest :*
*ainsi allégé, le ballon monte.*
*Pour descendre, il ouvre la soupape qui laisse échapper du gaz :*
*perdant de sa force ascensionnelle, le ballon descend.*
*Ceci peut paraître aisé sur le papier*
*mais exige en fait habileté et patience.*

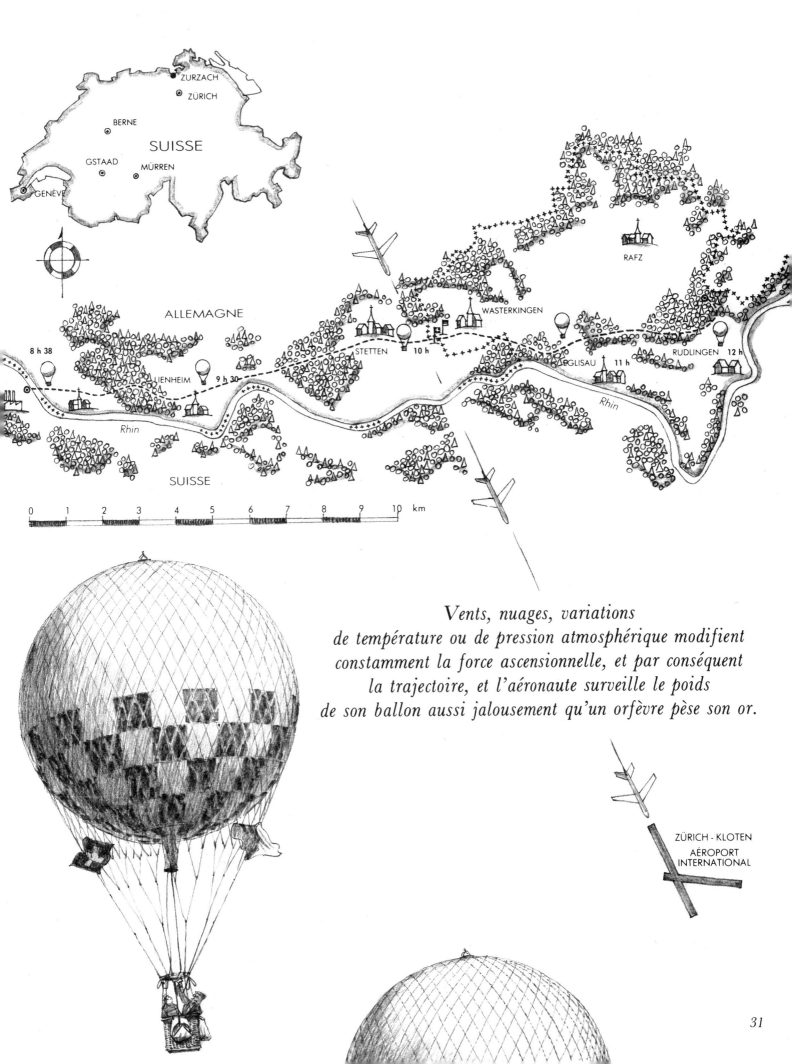

ZURZACH

ZÜRICH

BERNE

SUISSE

GSTAAD

MÜRREN

GENÈVE

ALLEMAGNE

RAFZ

WASTERKINGEN

8 h 38

LIENHEIM    9 h 30

STETTEN    10 h

EGLISAU    11 h

RUDLINGEN    12 h

Rhin

Rhin

SUISSE

| 0 | 1 | 2 | 3 | 4 | 5 | 6 | 7 | 8 | 9 | 10 | km |

*Vents, nuages, variations
de température ou de pression atmosphérique modifient
constamment la force ascensionnelle, et par conséquent
la trajectoire, et l'aéronaute surveille le poids
de son ballon aussi jalousement qu'un orfèvre pèse son or.*

ZÜRICH - KLOTEN
AÉROPORT
INTERNATIONAL

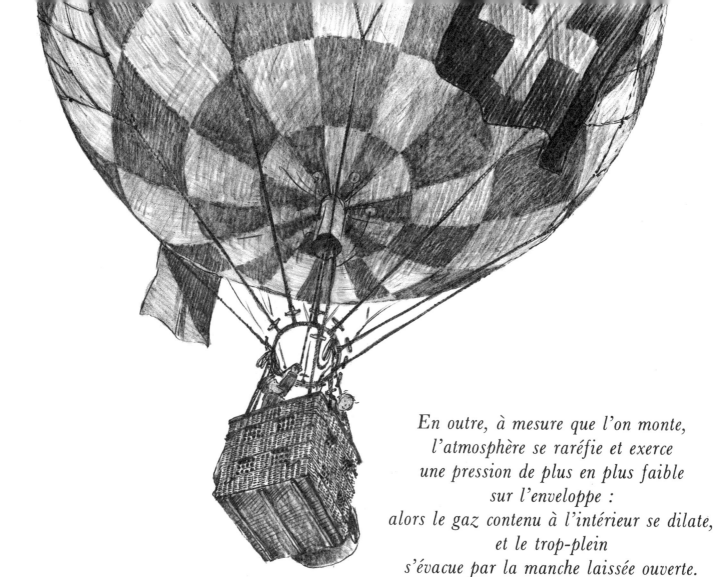

En outre, à mesure que l'on monte,
l'atmosphère se raréfie et exerce
une pression de plus en plus faible
sur l'enveloppe :
alors le gaz contenu à l'intérieur se dilate,
et le trop-plein
s'évacue par la manche laissée ouverte.
Du fait que le ballon perd du gaz,
il gagne du poids et s'équilibre.
S'il veut dépasser ce point d'équilibre,
le pilote doit alléger le ballon
en jetant du lest.

Livré à lui-même,
un ballon rempli d'hydrogène ne s'élève pas
indéfiniment dans les airs.
A mesure qu'il monte,
sa force ascensionnelle,
c'est-à-dire la différence
entre le poids de l'air qu'il déplace
et son propre poids, décroît et il se stabilise
à une hauteur d'équilibre dite
encore zone de plénitude.
Puis il entame une lente redescente
vers la terre, à moins que le pilote
ne jette du lest : auquel cas,
le ballon remonte
jusqu'à une nouvelle zone de plénitude.

*On comprend à présent pourquoi la manche doit être maintenue ouverte*
*pendant le vol : à cause de la dilatation progressive du gaz.*
*Si on la laissait fermée,*
*le gaz en excès ne pourrait s'échapper et l'enveloppe exploserait !*

*Aussi, les ballons destinés*
*à monter vers de hautes altitudes*
*ne sont-ils pas complètement*
*remplis de gaz au départ.*
*La dilatation du gaz pendant l'ascension*
*suffit pour gonfler l'enveloppe,*
*et l'on évite ainsi toute*
*déperdition du précieux*
*hydrogène.*

Notre ballon, lui, a été complètement gonflé avant le décollage,
car M. Dolder a de bonnes raisons pour ne pas nous emmener trop haut :
le ciel au-dessus de nous
est rempli d'oiseaux d'espèces variées, des Jumbo, des Boeing,
des Douglas, des Airbus !
Ces grands oiseaux se dirigent vers
l'aéroport de Zürich-Kloten et il ne faut pas gêner leur descente.
Au moyen de son émetteur-récepteur,
M. Dolder reste en contact avec les contrôleurs de l'espace aérien
et leur indique notre position.

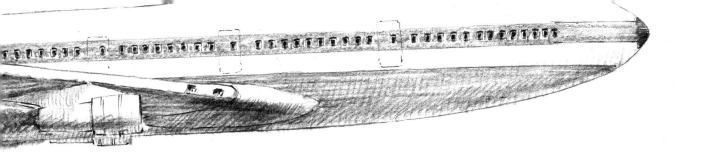

Les passagers
des lignes aériennes
auront eu un gracieux aperçu
de la Suisse,
pays du chocolat,
des montres et...
des ballons !

Notre « plafond de vol »
est si limité qu'à un moment,
nous devons franchir une colline boisée
en faisant du rase... cimes !

Au-dessous,
la campagne défile lentement
comme posée sur un silencieux
tapis roulant.
Nous apercevons...

... *des vaches qu'on est en train de traire...*

*des villageois
qui agitent leur mouchoir,
et même une fanfare !*

*Et nous passons la frontière sans montrer de passeport !*

39

Se maintenir
à une hauteur limitée
demande du doigté : M. Dolder
doit tantôt jeter des paquets
de lest, tantôt tirer à petits coups
sur la corde de soupape.
Lorsqu'il ne nous reste
plus guère de lest, M. Dolder
déclare qu'il est temps de se poser.
C'est sans doute la phase
la plus délicate du voyage
car il est impossible
de choisir son point de chute.
Au cours de la descente,
nous arrimons tous les objets
dans la nacelle.
Puis nous libérons
le guiderope qui se déroule
rapidement et va fouetter le sol
comme une queue de serpent.
En frottant contre le sol,
le guiderope ralentit le mouvement
du ballon et freine sa descente.
Il permet aussi de maintenir
une certaine stabilité en hauteur :
quand le guiderope touche terre,
le ballon s'allège du poids
de la longueur de la corde reposant
sur le sol et par conséquent,
il remonte. En remontant,
il entraîne la corde dont le poids
s'ajoute à celui du ballon
qui redescend, et ainsi de suite...

*Avant l'invention des fils téléphoniques et de haute tension,*
*on pouvait se livrer à ce petit jeu pendant une bonne partie du voyage,*
*tout en ménageant son lest, et sans avoir à actionner la soupape pour garder*
*une hauteur constante. En traînant sur le sol, le guiderope*
*laissait un long sillage et risquait tout au plus de rencontrer...*
*une corde à linge !*

Nous survolons une prairie, mais juste comme nous allons atterrir, une brusque rafale de vent
nous emmène droit vers un bois de sapins. Nous sacrifions nos derniers sacs de lest,
la nacelle remonte entre les branches épineuses.
« Accrochez-vous à un arbre ! » me crie mon pilote.
J'étreins le conifère le plus proche et M. Dolder souffle dans sa corne.

*Des visages ahuris de pique-niqueurs surgissent dans la verdure.*
*Comme nous sommes trop haut pour leur tendre une corde,*
*M. Dolder laisse un peu de gaz s'échapper.*
*La nacelle descend à une allure vertigineuse. Les gens s'écartent, affolés.*
*La terre fonce sur nous comme un poing de boxeur. Boum! c'est le choc!*

*Défense absolue de fumer
près d'un ballon
à hydrogène !*

La secousse a été rude, mais tout va bien : pas d'os fracturé !
Les braves pique-niqueurs réapparaissent de derrière les arbres
et commentent le spectacle.
Ils nous accueillent comme des extra-terrestres :
« D'où venez-vous ? Comment êtes-vous arrivés jusqu'ici ? »

Remis de ces brutales retrouvailles avec la croûte terrestre,
nous sortons de la nacelle. Chacun s'empresse de prêter la main pour replier le filet
et l'enveloppe lorsque tout le gaz a été évacué par la soupape.
Nous portons le matériel jusqu'à la voiture à remorque qui nous a suivis
durant toute notre promenade dans les airs.

*Que les chemins de terre semblent rudes,*
*quand on vient de glisser mollement sur l'aile du vent !*
*Je jette le courrier du « ballon postal » dans la boîte aux lettres de Rüdlingen...*

6 Juin 1980

Chère Fiona,
Cette carte postale
a voyagé en Ballon !
Nous avons décollé
de Zurzach, sur le Rhin,
et atterri là.

Affectueusement,
Papa

Freiballon HB-BOP
„BAZENHEID"
Pilot: Fred Dolder
551.

BORD POST

Mlle. Fiona Scarry

1204 Genève

*... et le lendemain, le facteur apporte*
*cette carte à ma fille !*

## La Naissance des Ballons Aérostatiques

Tout a commencé en 1783 à Annonay où deux frères fabricants de papier,
Joseph et Étienne Montgolfier, sont intrigués par le fait que de petits bouts
de papier placés au-dessus d'un feu voltigent dans l'air.
Ils savent que Cavendish a découvert l'existence d'un gaz plus léger
que l'air et pensent que le feu doit produire un gaz similaire qui permet
aux cendres de s'élever.

« Qu'adviendrait-il si l'on remplissait un sac de ce gaz ? »
Telle est la question qu'ils vont soumettre à l'expérience.
Ils emplissent des enveloppes de soie avec de l'air chaud obtenu
en brûlant un mélange de paille mouillée et de laine (pour que le feu fume)
et, à leur grande joie, ces sacs s'élèvent dans les airs.
L'expérience leur paraissant concluante, les Montgolfier la répètent
en présence des magistrats locaux, le 5 juin 1783, avec un nouveau ballon de 750 m$^3$.
La molle enveloppe se gonfle et commence à osciller. On la lâche : elle
monte jusqu'à 500 mètres environ et redescend lentement dix minutes plus tard.
Voici, fabriqué de main d'homme, le premier moyen de locomotion
qui défie les lois de la pesanteur !

le 5 Juin 1783
à Annonay.

d'après une gravure du temps.

*Première apparition d'un Objet Volant Non Identifié, à Gonesse, en 1783.*

*d'après une gravure du temps.*

La nouvelle de ce prodige « vole » jusqu'à Paris où elle est accueillie
avec étonnement et un brin de jalousie par les membres de l'Académie des Sciences,
qui décident de renouveler l'expérience des Montgolfier.
Faute de renseignements détaillés, ils supposent que les frères
ont utilisé l'air inflammable et projettent de fabriquer un ballon à hydrogène.
Le physicien Charles, aidé des frères Jean et Nicolas Robert, va diriger l'opération.
On fabrique en peu de temps un globe de soie gommée d'environ 4 mètres de diamètre,
qu'on emplit d'hydrogène obtenu à partir de la limaille de fer du vitriol et de l'eau.
Le 27 août, malgré une forte pluie, le petit ballon est lâché au Champ de Mars,
au milieu d'une foule de curieux. Il disparaît rapidement
dans les nuages et atterrit après trois-quarts d'heure de vol à Gonesse,
village situé à cinq lieues au nord de Paris.
Cet étrange engin tombant du ciel terrorise les villageois.
Armés de fourches et de fléaux, ils le mettent en pièces puis attachent le monstre vaincu
à la queue d'un cheval qu'ils promènent victorieusement à travers le village.

Louis XVI invite les Montgolfier à Versailles et, le 19 septembre,
un ballon bleu et or auquel on a attaché une cage
contenant un mouton, un canard et un coq,
est lâché dans la cour du château. Les animaux supportent bien le voyage.
Anoblis, les Montgolfier proposent alors un vol humain. Le roi est d'abord réticent.
Mais le marquis d'Arlande et Pilâtre de Rozier se portent volontaires et,
après quelques essais à bord d'un ballon retenu par une corde,
s'envolent des jardins du château de la Muette le 21 novembre.
Ils entretiennent un foyer au-dessous de l'enveloppe, parcourent une dizaine de kilomètres
au-dessus des toits de Paris, puis se posent à la Butte-aux-Cailles.
Enfin, le 1er décembre, Jacques Charles et Nicolas Robert s'envolent des Tuileries
dans un ballon à hydrogène qui les mène en deux heures à 35 kilomètres de Paris.
Le ballon de Charles comporte l'équipement complet des aérostats modernes :
le panneau de déchirure sera le seul perfectionnement apporté en deux cents ans !

Dès lors, la supériorité du ballon à hydrogène sera longtemps incontestée.
Alors que progressent les techniques pour produire ce gaz,
en revanche, on ne dispose pas d'enveloppe assez légère et ininflammable
pour la fabrication des montgolfières,
et surtout, d'une source de chaleur assez puissante et qui tienne peu de place.
Le ballon à air chaud subit donc une éclipse jusqu'à ce que les ingénieurs de la NASA,
au cours des années soixante, étudient l'emploi du parachute
pour récupérer les étages de fusées. Si le procédé n'est pas retenu, un nouveau type
de ballon à air chaud est toutefois inventé au cours de ces recherches :
il consiste en une légère toile à parachute, protégée à sa base par un matériau ignifugé,
et adaptée à des brûleurs de butane. Voici à quoi il ressemble :

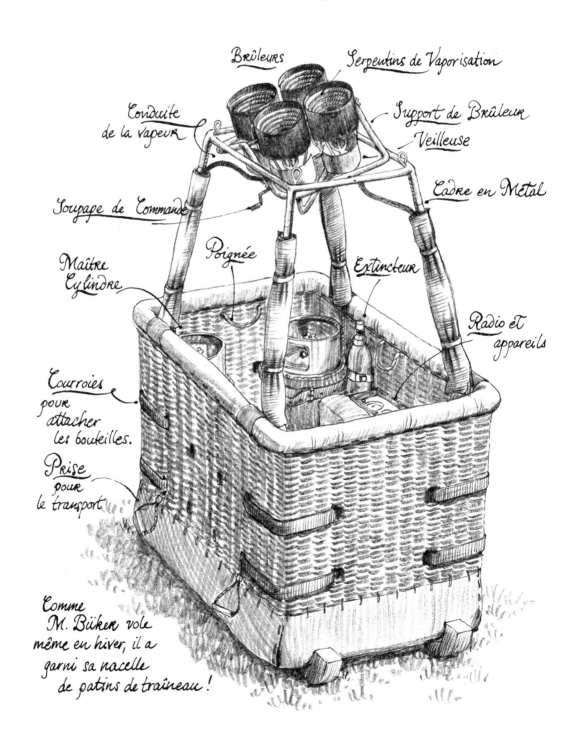

Brûleurs

Serpentins de Vaporisation

Conduite de la vapeur

Support de Brûleur

Veilleuse

Cadre en Métal

Soupape de Commande

Poignée

Extincteur

Maître Cylindre

Radio et appareils

Courroies pour attacher les bouteilles.

Prise pour le transport

Comme M. Büker vole même en hiver, il a garni sa nacelle de patins de traîneau !

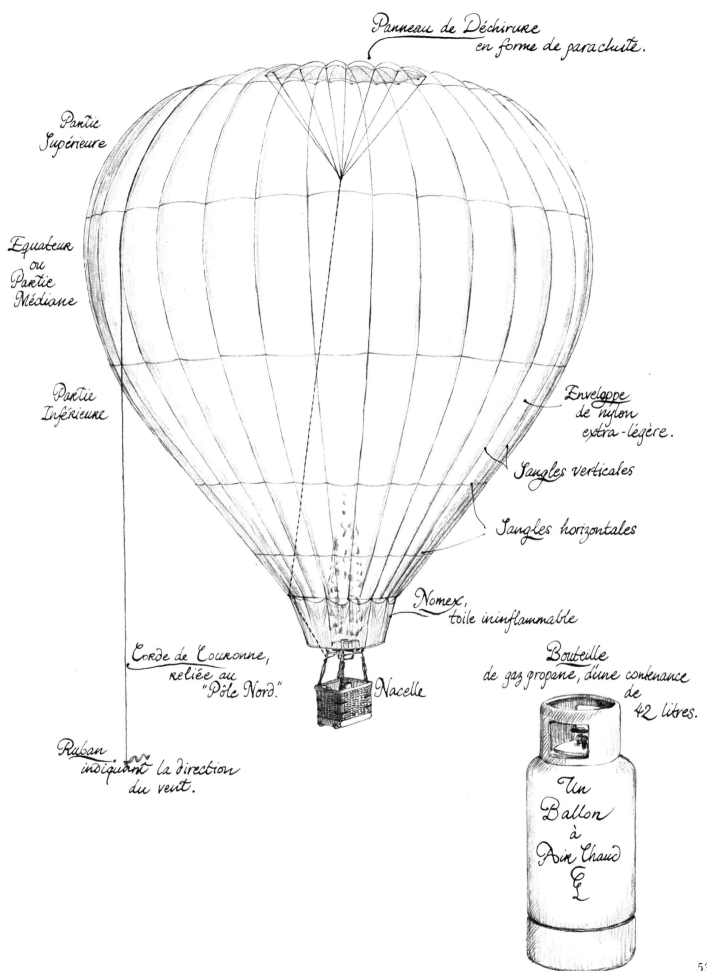

Panneau de Déchirure
en forme de parachute.

Partie
Supérieure

Equateur
ou
Partie
Médiane

Partie
Inférieure

Enveloppe
de nylon
extra-légère.

Sangles verticales

Sangles horizontales

Nomex,
toile ininflammable

Corde de Couronne,
reliée au
"Pôle Nord."

Nacelle

Bouteille
de gaz propane, d'une contenance
de
42 litres.

Ruban
indiquant la direction
du vent.

Un
Ballon
à
Air Chaud

53

C'est également en Suisse, à Gstaad,
que j'ai rencontré M. Büker.
Il est pilote de ballon à air chaud,
et ce sport constitue toute sa vie.
Le gonflement d'un ballon à air chaud
est un spectacle passionnant.
D'abord, l'enveloppe étendue à plat
est attachée à la nacelle.
On place à l'entrée un puissant ventilateur,
et le ballon enfle
comme une énorme bulle
de chewing-gum !

Un assistant retient le ballon
à l'aide
de la corde de couronne.

M. Büker s'arme
d'un puissant chalumeau
qui crache des flammes
à l'intérieur de la poche.
A mesure que l'air
s'échauffe, le ballon
se bombe et commence
à flotter au-dessus de nous.
Il est temps de grimper à bord !

Un rugissement assourdissant
retentit lorsque M. Büker
ouvre les brûleurs
au-dessus de nos têtes.

Dans l'enveloppe, la température s'élève à 90°C.
« Lâchez tout ! » crie M. Büker à l'équipe au sol.
Le ballon prend son essor avec l'agilité
d'un oiseau. En moins d'une minute,
nous gagnons les sommets.

C'est l'air chaud, plus léger que l'air froid,
qui provoque l'ascension du ballon.
Point n'est besoin de lest.
Le « combustible » est le gaz butane
comprimé dans des bouteilles de métal.

Quand les brûleurs sont éteints,
l'air refroidit dans l'enveloppe et le ballon
redescend. Le pilote le maintient en l'air
en rallumant les brûleurs. Pour la descente,
il peut également ouvrir le panneau de déchirure.

58

Faites
votre propre
ballon
à air chaud:

~ Boucle de ficelle
pour suspendre.

Enveloppe
en papier
crépon

Manche   ininflammable (aluminium).

Outre
la flamme,
il vous faudra:

2 feuilles de
papier crépon...

...du ruban
adhésif...

...de la ficelle...   ...de la colle...

...des ciseaux

...et une feuille d'aluminium.

Collez ces
3 parties
ensemble...

...et placez
le ballon
au-dessus
d'une flamme.

Mais,
bien entendu,...

...ne faites pas ça dans la maison!

Nous avons erré dans le ciel une petite heure.
Un vent très fort nous a poussés au-dessus des pics enneigés,
des nuages roses du couchant,
des profondes vallées bleues.

A cette altitude, on jouit d'une vue superbe dont profitent
d'ordinaire les seuls aigles.
M. Büker a repéré un espace découvert,
au bout d'une vallée boisée,
et prépare notre descente.

*Comme le ballon à hydrogène,*
*le ballon à air chaud*
*possède une soupape à son sommet,*
*et le pilote actionne la corde pour libérer de l'air.*
*La descente est régulière.*

SCHÖNRIED

Hornflut

SAANEN

Sarine

GSTAAD    20 h

*Un berger nous a aperçus de sa cabane.*
*Il accourt pour guider notre atterrissage.*
*Notre nacelle se pose sur le sol pierreux*
*aussi doucement qu'un baiser sur une joue.*

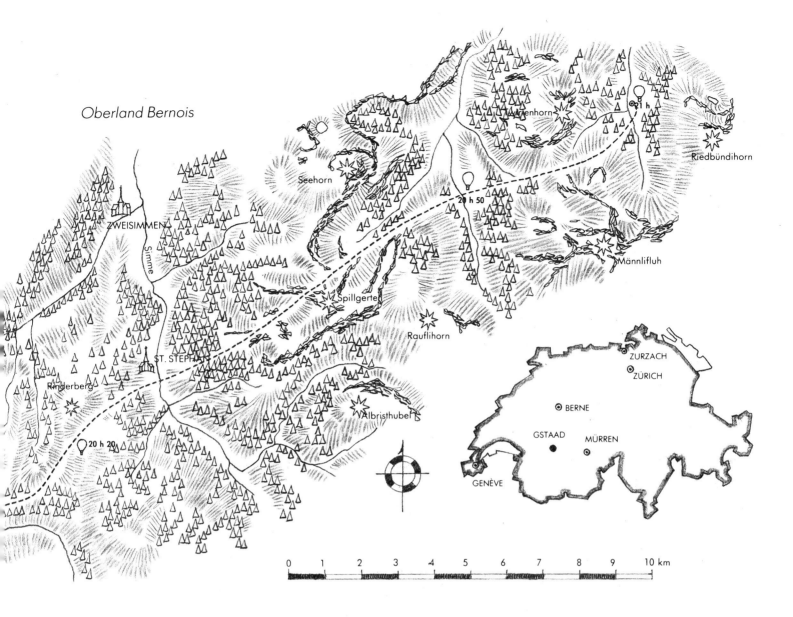

*Oberland Bernois*

ZWEISIMMEN

Simme

Seehorn

Wistenhorn

Riedbündihorn

20 h 50

Männlifluh

M. Spillgerten

Rauflihorn

ST. STEPHAN

Rinderberg

20 h 20

Albristhubel

ZURZACH
ZÜRICH
BERNE
GSTAAD
MÜRREN
GENÈVE

0  1  2  3  4  5  6  7  8  9  10 km

Le camion qui doit nous récupérer
nous a suivis, guidé par notre radio.
Mais il lui faut encore grimper
la route de montagne
et il ne nous rejoint que longtemps après
la tombée de la nuit. Sous les étoiles,
nous débouchons une bouteille de vin
vieilli en ballon et trinquons pour célébrer ce vol réussi.
Il est très tard quand nous rentrons
au foyer de M. Büker.
Tout est silencieux dans la maison.
Pas de bruit, s'il vous plaît ! Bébé dort.

*Chut !*
*Ne réveillez pas le bébé !*

# Conclusion

Au cours des deux siècles derniers,
l'homme s'est constamment efforcé
de « domestiquer » le ballon, la plus rebelle de ses inventions.
Ces tentatives opiniâtres, qui ont coûté la vie à plus d'un aéronaute,
ont abouti à la naissance des dirigeables.
Mais les ballons libres continuent à se moquer des exigences
de la nature humaine : impossibles à gouverner,
ils échappent à toutes prévisions et ne servent strictement à rien !
Toutefois, n'est-ce pas justement ces défauts
qui font leur charme unique et le plaisir de voler ?
Quand le pilote a lancé le fatal « Lâchez tout ! »,
il rompt avec la sécurité du séjour terrestre
et pénètre dans l'océan imprévisible
des courants aériens
qui peuvent l'entraîner n'importe où, à n'importe quelle vitesse.
Il ne garde qu'un fragile contact avec le monde et,
du haut de sa nacelle, contemple la planète comme un ange silencieux.
Là-haut dans l'air, le succès de son vol
ne dépend que de son habileté,
de sa patience et de son intuition météorologique.
La nature est sa seule complice,
mais aussi son seul maître. Et c'est cela la beauté !

Charles Stewart Rolls était
un "as du ballon" !
Il transportait sa nacelle sur une plate-forme
à l'arrière de sa Silver Ghost,
en 1908.

## Pour en savoir davantage...

Histoire de l'Aéronautique, *de Charles Dollfus* et *Charles Bouché*
Au gré des vents, *Edita, Lausanne*
Au seuil du cosmos, *d'Auguste Picard*
Le premier vol libre de l'histoire, *de Geneviève Touzain-Lioud*
Le vademecum du pilote de ballon libre dans les Hautes Alpes, *de Fred Dolder*
Musée de l'Air de Meudon
Musée alpin du ballon libre de Lauterbrunnen

## Et pour devenir pilote...

Club Aérostatique de l'Ile-de-France, Hôtel de l'Aqueduc, Maintenon.
Société internationale Spelterini de Zürich
Bureau : CH-8800 Thalwil, Gotthardstrasse 5A

Au Musée aéronautique de Lauterbrunnen, en Suisse.

## Mes remerciements

à M. Fred Dolder, pour mon voyage dans son ballon à hydrogène
à M. Hans Büker pour mon voyage dans son ballon à air chaud.

"Gut Land!"

Il est plus facile de s'envoler
que de
se poser !

"Lâchez tout !"

à Paris,
il y a deux cents ans...

...et la semaine dernière, à deux pas de chez moi !